Mon frè
Ma sœu

Une histoire écrite par
France Lorrain
et illustrée par
André Rivest

Pour Émile et Camille, mon Théo et ma Flavie !
F.L.

À Nathan et Félix, deux frères qui s'adorent
A.R.

cheval
masqué

Catalogage avant publication de Bibliothèque et Archives nationales du Québec et Bibliothèque et Archives Canada

Lorrain, France

Mon frère Théo, ma sœur Flavie

(Cheval masqué)
Pour enfants de 6 à 10 ans.

ISBN 978-2-89579-150-8

I. Rivest, André, 1960-   . II. Titre.

PS8623.O765M66 2007   jC843'.6   C2007-941023-5
PS9623.O765M66 2007

Nous reconnaissons l'aide financière du gouvernement du Canada par l'entremise du Programme d'aide au développement de l'industrie de l'édition (PADIÉ) pour nos activités d'édition.

 **Conseil des Arts   Canada Council
du Canada   for the Arts**

Bayard Canada Livres inc. remercie le Conseil des Arts du Canada du soutien accordé à son programme d'édition dans le cadre du Programme des subventions globales aux éditeurs.

Cet ouvrage a été publié avec le soutien de la SODEC.
Gouvernement du Québec – Programme de crédit d'impôt pour l'édition de livres – Gestion SODEC.

Dépôt légal – 3e trimestre 2007
Bibliothèque nationale du Québec
Bibliothèque nationale du Canada

Direction : Andrée-Anne Gratton
Graphisme : Janou-Ève LeGuerrier
Révision : Sylvie Marcoux

MON FRÈRE THÉO

Je l'aime très fort mon frère Théo! Sauf...

Quand il s'enferme dans la salle de bain au moment où j'ai très envie…

Sauf…

Quand il laisse le siège des toilettes relevé. Je tombe les fesses dans l'eau !

Oui, je l'aime très fort mon frère Théo ! Sauf…

Quand il boit tout le lait sans m'en laisser une seule gorgée. Je raaaage !

Sauf…

Quand il n'arrête pas de parler durant les repas. Bla! Bla! Bla! Bla! Bla! Bla!

Oui, oui, je l'aime mon frère Théo ! Sauf…

Quand on joue ensemble… Il décide de touuuuteees les règles du jeu !

Oui, je l'aime Théo! Sauf…
Quand il ferme la télévision
pendant mon émission préférée.

Sauf…

Quand il raconte dix fois le même film. Pas moyen de l'arrêter !

C'est vrai, je l'aime Théo. Sauf…
Quand il court pour s'asseoir en
premier dans la voiture de papa.
Ce n'est pas juste ! Je n'ai jamais
le temps d'attacher mes souliers !

Sauf…

Quand il répond au téléphone…
Il dit toujours que je ne suis pas
là, même si je suis à côté de lui !

Je l'aime quand même, Théo. Sauf...

Quand il refuse de me laisser sa place à l'ordinateur. Il dit : « Je fais un travail pour l'école ! »

Je ne suis pas folle ! J'entends les bruits de son jeu de course à travers la porte !

MA SŒUR FLAVIE

Moi, je l'aime très fort ma sœur Flavie ! Sauf…

Quand elle met de la mousse dans MON bain !

Elle dit que je vais avoir la peau douce, douce, douce.

Sauf…

Quand elle se peigne les cheveux… Yark ! Il y en a partout dans le lavabo. Moi, je dois me brosser les dents !

Oui, je l'aime très fort ma sœur Flavie! Sauf…

Quand elle mange, mange, mange. Une vraie gloutonne!

La nourriture déborde de sa bouche, de son assiette et même de la table!

Sauf...

Quand elle fait semblant de ne pas entendre le chien... Il jappe depuis 10 minutes pour aller faire pipi !

21

Oui, oui, je l'aime ma sœur Flavie ! Sauf…

Quand elle nous suit partout, mon ami Dominic et moi.

Oui, je l'aime Flavie! Sauf…
Quand on doit regarder des films de bébés. Ma sœur a peur de son ombre!

Peureuse! HOUHOUHOUHOU!

Sauf…

Quand elle se lamente pendant des heures pour avoir quelque chose… Mes parents finissent toujours par lui donner ce qu'elle veut.

IL N'Y A PAS DE JUSTICE POUR LES FRÈRES !

PAS JUSTE!

?

Euh… Oui, je l'aime Flavie.
Sauf…

Quand elle chante dans l'auto !
Impossible de m'évader !
Je suis prisonnier !

Euh… Est-ce que je l'aime, ma sœur Flavie ?

Euh… Est-ce que je l'aime, mon frère Théo ?

Oui, je l'aime mon frère Théo. Sans lui, la maison serait beeeeeaaauuuuucouuuuup trop silencieuse. Mais, chut ! Ne lui dis surtout pas, car il parlerait même la nuit !

Oui, c'est vrai que je l'aime ma sœur Flavie. Sans elle, je n'aurais personne à agacer ! Mais, chut ! Ne lui dis surtout pas, car elle irait pleurnicher !

FIN

As-tu lu les autres livres de la collection ?

Au pas

Casse-toi la tête, Élisabeth !
de Sonia Sarfati et Fil et Julie

**Mon frère Théo
Ma sœur Flavie**
de France Lorrain et André Rivest

Où est Tat Tsang ?
de Nathalie Ferraris et Jean Morin

Plus vite, Bruno !
de Robert Soulières et Benoît Laverdière

Au trot

Gros ogres et petits poux
de Nadine Poirier et Philippe Germain

Le cadeau oublié
d'Angèle Delaunois et Claude Thivierge

Lustucru et le grand loup bleu
de Ben et Sampar

Po-Paul et le nid-de-poule
de Carole Jean Tremblay et Frédéric Normandin

Au galop

Lili Pucette fait la révolution
d'Alain Ulysse Tremblay et Rémy Simard

Prisonniers des glaces
de Paule Brière et Caroline Merola

Thomas Leduc a disparu !
d'Alain M. Bergeron et Paul Roux

Ti-Pouce et Gros-Louis
de Michel Lavigne